난징함락과 대학살

난징대학살을 불러온 결정적 장면

2

南京的陷落 （二）

난징함락과 대학살

난징대학살을 불러온 결정적 장면

2

원저자 저우얼푸
그 림 주전경
각 색 황뤄구
번 역 김숙향

난징함락과 대학살 2

난징대학살을 불러온 결정적 장면

초판인쇄 2015년 8월 14일
초판발행 2015년 8월 14일

원저자 저우얼푸(周而復)
그 림 주전겅(朱振庚)
각 색 황뤄구(黃若谷)
번 역 김숙향
펴낸이 채종준
진 행 박능원
기 획 지성영 · 조가연
편 집 백혜림
디자인 조은아
마케팅 황영주 · 한의영

펴낸곳 한국학술정보(주)
주소 경기도 파주시 회동길 230(문발동)
전화 031 908 3181(대표)
팩스 031 908 3189
홈페이지 http://ebook.kstudy.com
E-mail 출판사업부 publish@kstudy.com
등록 제일산-115호 2000. 6. 19

ISBN 978-89-268-7038-9 04910
978-89-268-7034-1 (전4권)

이 책은 '난징대학살(南京人虐殺)' 때 희생된 30만 명이 넘는 무고한 중국인들의 혼백을 추모하며
중일전쟁(中日戰爭, 1937~1945년) 당시 용맹하게 싸운 모든 장병들에게 바친다.

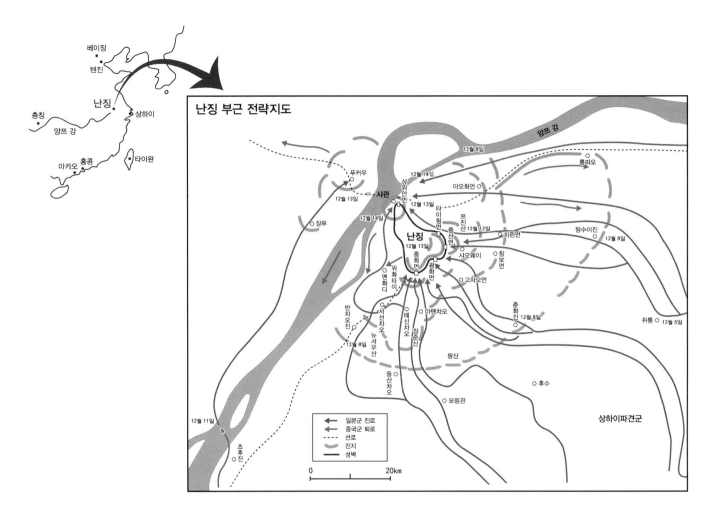

난징 부근 전략지도

베이징
텐진
충칭
난징
상하이
양쯔 강
마카오 홍콩
타이완

양쯔 강
12월 8일
룽탄
푸커우
12월 14일
상위안먼
샤관 12월 13일
12월 14일
야오화먼
타이핑먼
쯔진산 12월 12일
12월 13일
중산먼
치린먼
탕수이진
12월 8일
난징
12월 13일
장푸
중화먼
샤오웨이
창보먼
12월 8일
쥐룽 12월 5일
멘화더
광화먼
위화타이
고차오먼
반차오진
서선차오
춘화진 12월 8일
뉴서우산
테신차오
마텐차오
12월 8일
장전산
팡산
동산차오
후수
12월 11일
모링관
상하이파견군
초후진

일본군 진로
중국군 퇴로
선로
진지
성벽

0   20km

다음 날 해 질 무렵, 장제스(蔣介石)는 만족감에 가득 차 쑹메이링(宋美齡), 첸따쥔(錢大鈞)과 함께 비밀리에 공항에 도착했다. 잠시 난징(南京)을 떠나 우한(武漢)으로 가기 위해서다.

12월 4일, 제1전선과 제2전선의 부대들이 진지로 들어갔다.
12월 7일, 국민당 정부는 난징을 교전지로 선포했다.

1937년 12월 7일, 장제스는 비행기를 타고 난징을 떠났다.

12월 5일, 제51사단과 후숙(湖熟, 난징)을 뚫고 들어온 일본군이 만나다.

기밀이었기에 공항의 경계는 매우 삼엄했다. 탕셩즈(唐生智)만이 장제스의 배웅을 나왔다. 장제스는 탕셩즈의 손을 꼭 잡고 이미 화베이(華北) 지역 적진의 후방에 팔로군(八路軍)의 공격을 지시했다고 말했다. 적의 병력을 견제하고 있으니 탕셩즈가 반드시 난징을 지켜주길 바란다는 말도 덧붙였다.

이때 먼저 비행기에 탑승해 있던 쑹메이링이 머리를 내밀고 장제스에게 출발을 재촉했다. 장제스는 서둘러 트랩에 올랐고 탕성즈를 향해 몸을 돌려 두 손을 맞잡고 인사했다. "모든 일을 부탁하겠소."

1937년 12월 7일, 장제스가 탄 메이링호는 공군기의 보호를 받으며 장시성(江西省) 루산(廬山)을 지나 후난성(湖南省) 헝산(衡山)을 거쳐 우한에 도착했다.

비행기가 하늘 높이 솟아올랐다. 장제스는 이렇게 10년간 경영했던, 이른바 '강남의 멋지고 아름다운 땅, 금릉(金陵)은 바로 제왕의 고을'인 난징을 떠나 우한으로 날아갔다.

장제스는 스스로 단단히 준비를 했다고 생각하고 쑹메이링과 함께 우한으로 날아간 것이다. 한편 일본은 총사령관 마쓰이 이와네(松井石根)를 화중(華中) 지역에 보내 우회전술을 지휘하게 했다. 또한 제18사단 우시지마 사다오(牛島貞雄) 사단장은 군사를 이끌고 창싱(長興)으로 진격해 점령했고 이어 군사를 나누어 쓰안(泗安)과 광더(廣德)까지 침범했다.

일본의 한 여단(旅團)이 쓰안을 맹렬히 공격했다. 맹렬한 포화공격으로 쓰안에는 연기가 자욱했다. 한편 쓰안에 주둔하던 쓰촨군 23군 144사단 사단장 궈쉰치(郭勳祺)는 다리에 부상을 입고 피를 흘리고 있었다.

궈쉰치는 류샹(劉湘)의 말에 동의했다. "지난 몇 년간의 내전은 어쩔 수 없는 일이었습니다. 오늘 이렇게 항전의 기회가 왔으니 국가의 은혜에 힘껏 보답하지 않을 수 없습니다." 이렇게 생각한 그는 전선을 떠나지 않고 부상의 고통을 참으며 야간 습격을 지휘했다.

중국군의 야간 습격에 일본군은 미처 대비하지 못했고 그로 인해 수많은 사상자가 나왔다. 우시지마 사다오 사단장은 화가 나지 않을 수 없었다.

그러나 일본군의 무기는 우수했고 화력 역시 강했다. 일본군에 비하면 쓰촨군의 무기는 오래되고 낡았으며 심지어 어떤 병사는 2연발 총을 쓰기도 했다. 중국군도 많은 사상자를 내면서 전투력이 크게 약화되었다. 군의 총사령관 대리 판원화(潘文華)는 114사단에 쓰안을 포기하고 닝궈(寧國)로 퇴각하라는 명을 내렸다.

한편 광더를 공격한 일본군은 공군과 합세해 중국군의 야전 참호를 전부 폭파시켰고 도시 안팎의 건물들을 순식간에 초토화시켰다. 판원화가 직접 나서서 최선을 다해 지휘했지만 참패의 결과를 돌이킬 수는 없었다.

연대장 류루자이(劉儒齋)는 담이 작은 인물이다. 그는 목숨이 아까워 지휘를 따르지 않고 독단적으로 후퇴하여 전선의 궤멸과 패전을 초래했다. 판원화는 어쩔 수 없이 광더를 포기하고 닝궈와 치더(旌德)로 퇴각할 수밖에 없었다.

광더를 점령하고자 했던 일본의 목적은 이렇게 달성되었다. 우시지마 사다오는 마쓰이 이와네의 명령에 따라 퇴각하는 판원화의 부대를 추격하지 않았다. 공격의 대상을 우후(蕪湖)로 잡고 난징의 후방으로 우회하려는 마쓰이 이와네의 전략을 완성하려 한 것이다.

징후(京滬) 노선의 정면에서 마쓰이 이와네는 우시(無錫) 공격을 명했다. 그는 사면을 포위하는 전술을 폈다. 한 면으로는 시창공루(錫常公路)로 들어가고, 다른 한 면으로는 징후철도 앞에서 곧장 진격하며, 또 다른 한 면은 타이후(太湖)에서 곧바로 우시의 북쪽으로 들어가고, 마지막 한 면에서는 우시를 지나 우진(武進)을 공격하는 전략이다.

사면초가(四面楚歌) 전술을 펴려는 일본군이 우진에 도착하기 전, 우시를 지키던 중국군은 우진으로 가 포위권을 형성했다. 일본군이 중국군을 포위하려는 목적을 달성하지 못하게 말이다.

일본군은 순조롭게 우시로 진격했다. 마쓰이 이와네는 오래전부터 우시에서 유명해지길 원했는데 그 이유는 바로 '범려(範蠡)와 서시(西施) 이야기'에 감명을 받았기 때문이다. 전해지는 바에 의하면 범려는 공을 세운 뒤 은퇴하여 서시와 함께 우후(伍湖)에 배를 띄우고 놀았다고 한다. 그곳이 바로 지금 우시의 타이후 일대이다. 그래서 그는 타이후 부근에 지휘소를 만들고 싶었다. "지휘소를 어디에다 세울까?"

그런데 막료장(幕僚長) 하라다 쿠마키치(原田熊吉)는 마쓰이 이와네의 이런 마음을 헤아리지 못하고 군사 전략만 고려해 기차역에서 가까운 여관에 지휘소를 설치했다. 마쓰이 이와네가 여관으로 들어가며 살짝 이맛살을 찌푸렸다. "그대가 참 지휘소를 잘 고르셨습니다."

"중국 속담에 '하늘에는 천당이 있고 하늘 아래는 쑤저우(蘇州)와 항저우(杭州)가 있다'고 했습니다. 그런데 우시의 타이후는 쑤저우나 항저우보다 훨씬 빼어납니다. 자연경관이 실로 변화무쌍하지요. 지휘소를 반드시 타이후 주변에 세워야 하는 이유는 그곳이 조용하면서도 중국군에게 발각되기 어려운 곳이기 때문입니다." 하라다 쿠마키치는 "네"라고 대답하고 쏜살같이 나갔다.

지휘소는 곧장 타이후 근처 진위안(錦園)으로 옮겨졌다. 마쓰이 이와네의 눈앞에 광활한 호수가 펼쳐졌다. 호수 가운데에 싼 산(三山)이 있고 멀리 하늘에는 흰 구름이 두둥실 떠내려갔다.

호수와 산이 그림같이 어우러진 아름다운 경치는 마쓰이 이와네로 하여금 잠시나마 긴장된 전시상황을 잊게 만들었다. 그는 하라다 쿠마키치에게 말했다. "중국을 정복하면 아마 나도 전역을 하겠지요. 그때가 되면 이 타이후에서 노년을 보내고 싶군요."

"그건 아마도 불가능할 겁니다." 하라다 쿠마키치의 답은 뜻밖이었다. 마쓰이 이와네는 이상하다는 듯 눈을 크게 떴다. 이 30만 대군을 지휘하면서 중국 정복을 바로 눈앞에 두고 혁혁한 공을 세운 사령관이 작은 소망 하나도 이루지 못할 거란 말인가? 하라다 쿠마키치가 말을 이었다. "대 일본제국이 세계를 정복하기 전까지 천황폐하께서는 전역을 허락하지 않으실 테니까요."

"맞소." 마쓰이 이와네가 조용히 고개를 끄덕였다. "'등에 진 물건은 무겁고 갈 길은 멀다'는 중국인들의 말처럼 책임은 무거운 법. 우리 세계를 정복합시다!"

잔잔한 호수에 이따금 모터소리가 들렸다. 싼 산의 뒤쪽에서 모터보트가 한 대씩 나타나면서 북쪽을 향했다. 모터보트 소리에 마쓰이 이와네는 꿈 같았던 자연에서 깨어나 전쟁터로 돌아왔다. 그리고 하라다 쿠마키치에게 물었다. "사단장들에게 통지는 했습니까?"

"네. 통지했으니 분명 정시에 도착할 것입니다." 하라다 쿠마키치가 대답했다. 마쓰이 이와네는 고개를 끄덕이고 왼쪽에 위치한 2층 양옥집 식당으로 들어갔다. 이곳은 임시로 개조한 회의실이었다.

가장 먼저 도착한 사람은 제6사단의 사단장 다니 히사오(穀壽夫)였다. 그는 작은 키에 단단한 체구를 가졌는데 인상이 험상궂고 눈빛이 사나웠다. 진 산(金山)을 포위해 공격했던 부대가 바로 그의 사단이었다. 지금은 이싱(宜興) 일대에 주둔하며 명령을 기다리고 있었다. 마쓰이는 그의 손을 꽉 잡으며 전공을 축하했다.

다니 히사오는 마쓰이 이와네 앞에서 낮은 목소리로 조심스레 말했다. "사령관께서 훌륭한 전략을 세우신 덕입니다." 곁에서 하라다 쿠마키치도 거들었다. "물론입니다. 사령관의 지휘가 훌륭하셨기에 주력부대가 우회전술로 총 한 발 쏘지 않고 우시의 동쪽을 모두 점령하지 않았겠습니까!"

마쓰이 이와네는 저절로 미소가 지어졌지만 일부러 담담한 모습을 보였다. "우리가 비록 우시를 점령했지만 장인(江陰) 요새는 아직도 중국군의 수중에 있소. 중국군은 강에 어뢰(魚雷)를 묻어 제3함대가 강을 거슬러 올라오는 것을 막고 있지요. 그러니 반드시 장인 요새를 먼저 점령해야 합니다!"

하라다 쿠마키치가 말했다. "사령관께서 이렇게 전세를 잘 파악하고 계시니 사실상 전략은 다 세운 셈입니다. 계속 우회전술을 쓸까요?" 마쓰이 이와네는 고개를 끄덕였다. "장인의 포구는 강을 향하고 있습니다. 중국군의 방위선을 돌아 후방에서 단번에 장인을 점령합시다."

다니 히사오는 초조해졌다. 제6사단은 이싱에 있었기에 장인을 공격하면 자신은 전공(戰功)을 세울 수 없기 때문이다. 순간 다급해진 그는 마쓰이 이와네에게 물었다. "우리가 장인을 점령하면 수로와 육로로 동시에 난징을 진격할 수 있지 않겠습니까?" "그것은……" 마쓰이 이와네는 망설였다.

마쓰이 이와네는 히틀러(Adolf Hitler)가 중일전쟁(中日戰爭)을 조정하는 중이고 고노에 후미마로(近衛文麿) 수상도 유리한 조건으로 중국과 휴전을 원한다는 사실을 알고 있었다. 동시에 군지휘부 내각에서 군사행동을 간섭하는 것을 원치 않는다는 것도 알고 있었다. 아울러 육군대신(陸相) 스기야마 하지메(杉山元)도 화중지역에 파견된 군대가 승세를 몰아 난징을 함락시킬 수 있다는 말을 한 적이 있었다.

그러나 하루빨리 공을 세우고 싶었던 다니 히사오는 이런 상황을 잘 이해하지 못했다. 전공을 세우는 일에 급급해 큰 소리로 마쓰이 이와네를 다그쳤다. "승세를 타고 추격합시다. 중국군에게 숨 쉴 틈을 주지 말고 서둘러 난징을 점령해야 합니다. 사령관님, 빨리 명령을 내려주십시오!"

다니 히사오는 전쟁을 일으키려는 생각이 간절해 마쓰이 이와네에게 결심을 재촉했다. 평화협의가 달성되기 전 난징을 함락시켜 일본군의 위력을 드러내고 싶었던 것이다. "맞소. 중국의 수도를 공격하는 건 큰일이지요. 신속하면서도 조심해야 합니다." 마쓰이 이와네는 다니 히사오에게 들릴만한 목소리로 혼잣말을 하듯 내뱉었다.

마쓰이 이와네는 계속해서 난징의 지세와 수비군의 상태를 분석했다. "쯔진 산(紫金山)은 난징을 여는 열쇠이자 감제고지(瞰制高地)입니다. 경전(經典)을 보면 역사적으로 난징 공격은 모두 쯔진 산에서부터 들어갔는데……" 순간 그의 말이 끝나기도 전에 다니 히사오가 곧바로 자신의 사단을 이끌고 쯔진 산을 공격하겠다고 나섰다.

"난징의 형세는 쯔진 산도 중요하지만 위화타이(雨花台)도 중요합니다. 위화타이는 중화먼(中華門)과 매우 가깝습니다. 위화타이에 올라서면 멀리 난징의 전역을 손바닥처럼 볼 수 있습니다……." 마쓰이 이와네는 다니 히사오의 요청에 바로 답을 주지 않고 계속 난징의 지세를 분석했다.

다니 히사오는 마쓰이 이와네가 자신의 요청을 무시하자 기분이 나빠 떠보듯 물었다. "사령관께서는 군대를 몇 갈래로 나누어 난징을 공격하실 겁니까?" 마쓰이 이와네는 이미 만반의 준비가 되었다는 듯 말했다. "난징은 삼면이 산으로 둘러싸여 있고 나머지 한 면은 강과 인접해 있소. 나는 세 갈래로 군대를 나눌 생각이오."

이윽고 마쓰이 이와네는 구체적인 부대를 열거했다. 나카지마 게사고(中島今朝吳) 사단장은 16사단을 이끌고 징후노선으로 전진해 쯔진 산을 공격한다. 우시지마 사다오 사단장은 18사단을 이끌고 광더에서 우후를 공격하고 난징 주둔군의 퇴로를 차단시킨다. 마지막으로 중간의 이싱, 리양(溧陽), 춘화(淳化)로 들어가 위화타이를 공격하는 임무는 6사단에게 맡기는 전략이다.

6사단은 일본 육군 가운데 가장 흉악한 부대이다. 사람을 죽여도 눈 하나 깜짝하지 않아 하는 것 역시 마쓰이 이와네가 가장 좋아하는 점이었다. 마쓰이 이와네는 일부러 다니 히사오를 자극했다. "중간으로 공격해 들어가는 게 가장 중요하오. 특별히 그대에게 넘겨주는 임무인데…… 할 수 있겠소?"

"할 수 있습니다! 만일 이번에 실수하면 할복(割腹)하겠습니다." 과연 마쓰이 이와네의 의도대로 다니 히사오가 흥분을 했다. "제가 꼭 명령을 완수하겠습니다. 천황폐하를 위해 목숨을 아끼지 않고 싸우겠습니다."

사단장 회의는 이렇게 급히 끝났다. 모두 마쓰이 이와네의 전략에 동의했다. 난징을 빼앗으려는 전쟁의 불길은 활활 타올랐고 동시에 사단장들의 마음도 타올랐다. 특히 다니 히사오가 그랬다. 그는 타이후의 경치를 감상할 겨를도 없이 서둘러 이싱으로 돌아갔다.

이싱으로 돌아온 뒤 다니 히사오는 곧바로 행동에 들어갔다. 그는 순식간에 리양과 리수이(溧水)를 점령하고 춘화로 향했다.

사병들의 전투력을 키우기 위해 다니 히사오는 숙영(宿營) 시간에 전 사병들에게 전보의 내용을 통보하고자 했고 마침 전보가 도착했다. 나카지마 게사고 부대는 이미 치샤 산(棲霞山) 일대로 진격했고 우시지마 사다오 사단은 우후에 근접했다는 내용이었다. 춘화를 공격할 부대의 연대장인 시라토 미츠오미(白土光臣)가 사병들에게 물었다. "우리도 할 수 있겠나?"

대대장 카야 헤이타(賀屋兵太郎)는 가슴을 치며 소리쳤다. "6사단은 절대로 뒤처지지 않습니다. 저희가 기필코 나카지마 게사고의 부대보다 먼저 난징으로 진입할 것입니다." 전 연대의 장교들이 모두 고함을 질렀다. "6사단은 반드시 먼저 난징으로 들어간다!"

시라토 미츠오미 연대장은 부하들을 훑어보았다. 그는 부대의 사기가 이렇게 격앙된 것이 기뻤다. 춘화를 얻고 위화타이를 공격한 뒤 먼저 난징으로 진입하리란 자신감은 더욱 배가 되었다. 그는 병사들을 바라보며 말했다. "좋다! 모든 대대들은 저녁을 먹고 일찌감치 취침하라. 내일 동이 틀 무렵 춘화를 공격한다!"

다음 날 새벽, 일장기(日章旗)가 그려진 수십 대의 폭격기가 하늘로 솟구쳐 올라 일본군의 총공격을 위해 길을 깨끗이 청소했다. 연이어 치샤 산과 춘화를 향한 일본군의 공격이 시작되었다.

나카지마 게사고의 사단은 치샤 산과 롱탄(龍潭) 일대를 함락시키고 곧바로 라오후동(老虎洞)과 체육관, 그리고 샤오링웨이(孝陵衛) 일대의 고지대로 진격했다. 진지를 수비하던 꾸이용칭(桂永淸) 총사령관은 위협을 받았다.

다니 히사오의 6사단은 춘화를 점령한 뒤 세 갈래로 길을 나누어 각각 통지먼(通濟門), 광화먼(光華門), 위화타이로 미친 듯이 돌격했다.

긴박한 상황은 난징 수도경비사령부 탕셩즈가 있는 곳까지 보고되었다. 그는 일본군이 주력부대인 6사단을 이끌고 위화타이를 공격할 줄은 꿈에도 몰랐다. 당연히 쯔진 산을 공격하리라 예상하고 쯔진 산에 정예부대를 준비시켰고 위화타이에는 쑨위안량(孫元良)이 이끄는 88명의 사병들만 남겨두었던 것이다. 탕셩즈는 심히 걱정되었다.

탕성즈는 뒷짐을 지고 초조하게 응접실 안을 왔다 갔다 했다. 장제스가 난징을 떠난 지 며칠이 지났고 트라우트만(Oskar Trautmann)의 중재는 어떻게 되었는지 소식이 없던 상황에서 갑자기 적들의 공격이 시작된 것이다.

탕셩즈는 잠시 깊은 생각에 빠졌다. 우한에서 중재 소식이 오든 말든 상관없다고 생각했다. 장제스가 떠나기 전 했던 말에 의하면 그는 여전히 난징을 지켜야 했다. 난징의 식량과 탄약은 충분했고 수원(水源)도 있었다. 석 달간 포위된다 해도 버틸 수 있을 것 같았다. 생각을 마친 탕셩즈는 참모 저우란(周爛)을 불렀다.

탕성즈는 저우란에게 명령을 내렸다. "수비군 모두에게 명령을 내리겠다. 우리는 진지와 함께 살고 진지와 함께 죽는다. 한 치의 땅도 쉽게 포기하지 않는다. 만일 독단적으로 이동하는 자는 위원장님의 명령에 따라 연좌법(連坐法)을 적용해 엄중히 처벌할 것이다……."

"또한 각 부대에 명하길 독단적으로 선박을 차지하지 말고 78군 군대장 쑹시롄(宋希濂)이 해안 경비를 책임지고 지휘한다. 모든 부대의 관병들은 개인적으로 강을 지날 수 없도록 엄격히 금하며 만일 이를 거역할 경우 무력으로 제지한다!"

탕성즈는 계속해서 설명했다. "푸커우(浦口)에 있는 제1군에게 통지한다. 무릇 난징으로부터 북쪽으로 강을 건너려는 모든 병사들은 일제히 제지한다. 만일 명령을 따르지 않으며 발포해도 책임을 묻지 않을 것이다!" 저우란은 자신의 귀를 의심하고 물었다. "모든 부대를 금지합니까?" 탕성즈가 대답했다. "그렇다. 파부침선(破釜沈船)하여 마지막으로 사력을 다할 것이다. 맹세컨대, 난징과 생사를 함께할 것이다!"

진지를 사수하라는 탕성즈의 명령이 각 수비부대에 전달되었을 때 통화먼 밖 훙마오 산(紅毛山) 전선을 지키던 교도부대 제3사단은 도리어 적군에게 틈을 보이고 말았다. 원래의 계획대로라면 이곳은 87사단이 방어해야 한다. 그러나 87사단이 아직 도착하지 않았기에 교도부대 제3사단이 1대대를 파견해 잠시 지키고 있었다.

교활한 일본군은 87사단 병사들의 군장을 몰래 사용해 교도부대 제3사단의 방어선을 뚫고 교도부대가 지키던 탕 산(湯山)의 기마병 제1대대를 습격했다. 제1대대의 병사들이 대부분 사망하자 일본군은 탕 산을 손쉽게 점령해버렸다.

12월 8일 동이 틀 무렵, 일본군의 비행기가 쯔진 산 진지를 폭격했다. 포병도 치린먼(麒麟門)을 향해 전진하며 화력을 집중시켰다. 진지는 순식간에 불바다가 되었다.

저녁 무렵, 치린먼 일대는 일본군에게 완전히 점령당하게 된다. 제3사단은 쯔진 산의 주요 진영인 라오후동 일대를 급습했고 공군과 육군의 합동 공격을 버티지 못한 수많은 중국군은 목숨을 잃었다. 중국군의 시체가 사방에 널렸다.

제3사단장 마웨이룽(馬威龍)은 여러 번 교도부에 지원을 요청했지만 지원군은 오지 않았다. 저우전창(周振强)은 어쩔 수 없이 라오후동 진지를 포기하라 명했고 아울러 마웨이룽에게 잔여 부대를 이끌고 쯔진 산의 두 번째 봉우리 샤오마오 산(小茅山) 주둔지로 퇴각하라는 명을 전했다.

마웨이룽은 남은 부대를 이끌고 주둔지로 퇴각했다. 그리고 병력을 다시 배치하기 위해 지휘소의 저우전창에게 갔다. 이때 저우전창은 산봉우리에서 매복하며 망원경으로 주위를 살피고 있었다.

마웨이룽의 모습이 보이자 저우전창은 제3사단이 주둔지에 잘 들어갔는지 물었다. 눈빛은 산 아래 치린푸(麒麟鋪) 일대의
마을을 주시하고 있었다. 그곳에는 드문드문 환한 불빛이 빛나고 있었다. 저우전창은 방금 산봉우리에서 들었던 생각을
떠올리며 물었다. "제3사단의 사기는 어떠하오?"

마웨이룽은 부대장이 부대의 사기에 대해 묻자 새로운 임무를 맡기려는 게 아닐까 생각했다. 제3사단은 계속 신임을 받고 있었기에 그는 사기가 떨어졌다는 말을 할 수 없었다. "부대의 사기는 지금까지 계속 왕성합니다. 새로운 임무가 있습니까?"

"있소!" 저우전창은 마웨이롱을 끌어당기며 산 아래를 가리켰다. "저 일대 마을에 일본군이 머물고 있소. 그런데 탕셩즈 총사령관은 우리에게 계속 주둔만 하라는 수동적인 전투를 하게 했소. 만일 우리가 병력을 집중시켜 습격해 일본군의 후방을 위협하면 정면에서 오는 압박을 줄일 수 있고 승전할 수도 있을 것 같소."

마웨이룽은 이제야 저우전창이 군의 사기를 물은 의도를 이해했다. 일본군은 너무 교만하고 난폭했다. 쯔진 산 아랫마을에 대담하게도 환히 붉을 밝히고 숙영한다는 건 분명 중국군이 안중에도 없다는 뜻이었다. 저우전창의 전략은 매우 훌륭했다. 마웨이룽은 기뻐하며 외쳤다. "부대장님의 의견에 찬성합니다."

"좋습니다! 우리 함께 사령부에 건의합시다." 저우전창은 마웨이룽을 데리고 갔다. 마웨이룽은 오래전부터 일본군에 대한 원한이 깊었는데 이제야 복수할 기회를 잡은 것 같았다. "일본 놈들은 쓴맛을 봐야 합니다. 일본 놈들에게 교도부대의 무서움을 보여줍시다!"

두 사람은 신이 나서 교도총부로 돌아왔다. 그때 꾸이용칭은 치우칭쳰(邱清泉)과 난징 지도를 보며 불리한 최전선의 형세를 걱정하고 있었다. 두 사람이 건의할 전략이 있다는 말을 듣고 꾸이용칭이 서둘러 물었다. "무슨 좋은 전략이 있는지 빨리 말해보시오."

저우전창의 전략을 들은 꾸이용칭은 고개를 저었다. "이건 모험이오." 마웨이롱이 따지듯 물었다. "어째서 모험입니까?" 꾸이용칭은 이맛살을 찌푸렸다. "먼저 나서서 적군의 후방을 우회한다면 성공할 가능성이 매우 낮소. 병력이 없어지면 무엇으로 쯔진 산을 지킬거요!?"

꾸이용칭은 저우전창의 전략에 반대했다. 교도부대는 다년간 그가 고심하여 운영한 부대로 난징 수비전에 참가한 이래로 이미 절반의 사상자를 냈다. 그런데 먼저 나서서 또다시 큰 손실을 입게 되면 어찌 공군사령이 될 수 있겠는가? 저우전창은 그의 마음을 이해하지 못하고 몸을 돌려 치우칭첸의 의견을 구했다.

치우칭첸은 속으로 저우전창이 정확한 전략을 내놨다고 생각했다. 일본군의 횡포가 갈수록 심해지는 상황에서 승전할 좋은 기회였기 때문이다. 그러나 이런 속내를 선뜻 말하기 어려워 모호하게 대답했다. "두 분의 전략은 매우 좋습니다. 그러나 총대장의 의견 역시 고려할만 한데요……."

"더 생각할 것 없습니다. 오늘 밤에 출격하지 않으면 이런 좋은 기회는 또 없습니다." 저우전창은 다급해졌다. 치우칭첸은 깊이 생각해본 뒤 결정하자는 듯 꾸이용칭에게 권했다. "탕셩즈 사령관에게 한번 말씀드려보시죠?"

꾸이용칭은 치우칭첸의 마음이 기울어졌음을 알아채고 퉁명스럽게 말했다. "탕셩즈 사령관에게 전화를 걸어 물어보시죠." 저우전창은 벌떡 일어났다. 한시가 아까운 그는 곧바로 탕셩즈 사령관에게 전화를 걸었다.

그러나 탕셩즈도 꾸이용칭과 같은 의견이었다. 먼저 나서서 출격하지 말고 과도한 병력 소모를 피하며 반드시 쯔진 산의 세 봉우리를 지켜야 한다는 것이다. 수화기를 들은 저우전창은 손을 덜덜 떨며 한마디도 하지 못했다.

그가 막 전화를 끊으려하자 탕성즈가 다시 말했다. "현재 일본군은 위화타이를 공격하고 있고 쑨 군단장은 88사단을 지휘하며 진지를 수비하고 있소. 바라건대, 쑨 군단장처럼 여러분도 진지를 잘 수비하시기 바랍니다. 진지와 생사를 함께하시오!" 낙담한 저우전창은 수화기를 내려놓고 아무 말도 하지 못했다. 다행히 통화소리가 커서 모두가 대화의 내용을 들었기에 따로 전할 필요는 없었다.

위화타이에서의 전투는 매우 격렬했다. 일본군은 춘화를 점령한 뒤 위화타이를 향해 맹렬히 돌진했다. 선두에는 카야 헤이타로(賀屋兵太郎) 대대가 섰고 최전방에는 미야오카 토시오(宮岡敏夫) 중대와 노다 나오키(野田直樹) 중대가 섰다.

88사단은 쏟아지는 포탄과 총알 공격을 받았다. "돌진하라! 천황의 용사들이여!" 미야오카 토시오는 미친 듯 소리를 지른 뒤 앞장서서 돌격했다. 뒤따르던 일본 병사들은 바닥에 쓰러져 붉은 피를 흘리는 동료도 아랑곳하지 않았다. 마치 말 잘 듣는 사냥개처럼 동료의 시체를 밟고 넘으며 목숨을 걸고 앞으로 돌진했다.

노다 나오키가 이끄는 중대 역시 마치 미야오카 토시오 중대와 시합을 하듯 핏빛 일장기를 흔들며 무차별하게 중국군을 죽였다. 이들은 사납게 포효하며 경쟁하듯 나란히 전방으로 돌격했다.

진지를 지키던 88사단의 사병들은 소총만으로 일본군의 대오를 뚫지 못했다. 물밀 듯 밀려들어 오는 일본군을 향해 수류탄을 하나씩 던졌고 수류탄이 터질 때마다 일본군은 한 무더기씩 쓰러졌다.

그러나 일본군은 여전히 사활을 가리지 않고 돌격해왔다. 88사단의 최전방 방어진지는 이미 일본군의 포탄에 산산조각 나버려 운 좋게 살아남은 사병들은 그리 많지 않았다. 게다가 마침 중국군의 중기관총 역시 일본군 포병이 망가뜨렸으니 물밀 듯 밀려드는 일본군을 막을 방법이 도저히 없었다.

상황이 악해지자 2차 방어선 지휘 작전의 88사단 참모장 꾸시엔용은 곧장 위화타이 군지휘소 안의 쑨위안량에게 전화로 위험을 알리고 신속히 증원해 달라고 요청했다.

쑨위안량이 있는 곳에 증원할 병력이 있을까? 그는 참모장 쉬러핑(徐樂平)에게 사령부에 전화를 걸라고 했다. 전화는 금방 연결되었고 탕성즈가 직접 받았다. 쑨위안량은 전방의 상황을 보고하면서 지원군을 요청했다. 지원군이 오지 않으면 위화타이는 매우 위태로워진다고 말이다.

탕셩즈는 무척 놀랐다. 방금 꾸이용칭이 전화를 걸어 와 치린푸 일대 일본군이 쯔진 산의 제2봉 샤오마오 산으로 진격해 상황이 매우 위급하다고 했다. 그는 저우전창의 전략대로 치린푸에 먼저 출격해 일본군의 공격을 저지하지 않은 걸 후회했다. 지금 위화타이까지 위기에 빠졌다는 보고가 들어오니 상황은 더욱 손쓸 수 없게 된 것이다.

탕셩즈는 저우란과 파견할 만한 증원군이 있는지 상의했다. 저우란은 지도를 보고 수이시먼(水西門) 방어지역을 가리키며 말했다. "수이시먼은 위화타이와 가까우니 왕야오우(王耀武)의 51사단을 보낼 수 있지 않을까요?"

“물론 51사단을 보낼 수는 있습니다만 그렇게 되면 수이시먼은 어떻게 방어합니까?” 저우란은 동의하지 않았다. 그는 전화를 걸어 쑨위안량에게 증원군을 보내줄 수 없으니 88사단이 끝까지 사수하라는 말을 전할 수밖에 없었다.

12월 12일 오전, 88사단은 지원을 받지 못하자 일본군의 맹렬한 공격을 견뎌내지 못했다. 위화타이는 결국 함락되었다. 쑨위안량은 88사단의 남은 2천여 명의 사병을 데리고 시아관(下關) 방향으로 도망갔다.

탕셩즈는 보고를 받고 화가 머리끝까지 났다. "이 자식이 나한테 자기 입으로 진지와 생사를 함께한다고 맹세해 놓고서는 도망을 가? 36사단의 쑹시롄에게 전화를 걸어 막으라 명하고 쑨위안량에게는 곧장 중화면으로 돌아와 계속 수비하라고 전하시오. 늦어선 안 되오!"

쑹시롄은 명령을 듣고 경비부대를 파견해 저지했다. 또 자신도 직접 쑨위안량을 만나 중화먼으로 돌아가 수비하며 전쟁을 계속 하라고 설득했다. 쑨위안량은 할 수 없이 군사들을 이끌고 중화먼으로 퇴각했다.

88사단이 막 떠났다. 그런데 이때 36사단의 경비부대와 74군 군단장 위지스(兪濟時)가 시아관을 향해 퇴각할 준비를 하고 있음을 알게 되었다. 쑹시롄이 급히 전화를 걸어 보고하자 탕셩즈는 반드시 막으라고 명했다. 더불어 이쟝먼(挹江門)에서 시아관 일대의 경계 태세를 엄격히 갖추고 모든 활동을 금지하라는 명령을 내렸다.

탕셩즈는 쑹시롄에게 전화를 걸어 시아관 일대에 계엄령(戒嚴令)을 내리라고 명했다. 잠시 숨을 돌릴 기회를 만들려 했던 것이다. 그는 일본군이 삼면에서 난징을 포위해오고 있지만 강 건너 북쪽은 여전히 자신의 관할이기에 안전하다고 생각했다.

그러나 탕셩즈의 예상은 빗나갔다. 저우란이 다급하게 들어오더니 보고하길, 푸커우를 지키던 제1군에서 긴급한 전보를 받았다고 했다. 전보의 내용은 당투(當塗)를 공격한 일본군이 이미 강을 건너 허시엔(和縣)을 점령하고 막 푸전(浦鎭)으로 진격하는 중이라는 것이다. 탕셩즈는 크게 놀라 소파에서 벌떡 일어났다. "뭐라고? 일본군이 강을 건넜다?"

"그렇습니다. 전보를 봐주십시오." 저우란은 탕성즈에게 전보를 건넸다. 황급히 전보를 본 탕성즈는 혼잣말하듯 말했다. "일본군은 삼면을 포위한 게 아니라 지금 사면을 포위한 거야. 강을 건너 북상하는 길까지 큰 위협을 받았겠군."

나쁜 일은 혼자 오지 않는 법. 부사령관 류싱(劉興)이 또 달려와 보고했다. 일본군 함대가 지금 막 우룽 산(烏龍山)에 지뢰를 설치하고 있는데 이대로라면 내일 오전 시아관에 도착한다는 것이다. 탕셩즈는 핏줄이 가득한 눈을 크게 뜨고 한마디도 하지 못했다.

"현재 전시상황이 어렵게 되었습니다. 우리는 이미 일본군에게 포위되었습니다. 두 사령관께서 하루빨리 결심을 해주시기 바랍니다." 저우란은 탕셩즈와 류싱을 깨우쳐주었다. 비록 어떤 결심을 했다고 말하지는 않았지만 두 사령관은 이미 결정을 내렸다.

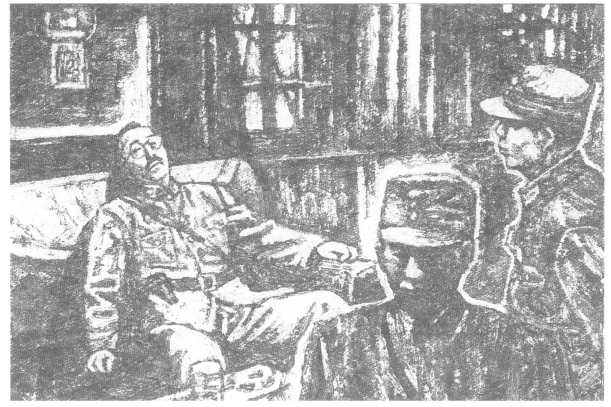

"참모장의 말이 맞소. 상황이 어렵게 되었소! 이제 난징을 지킬 방법은 없습니다." 탕셩즈는 여기까지 말하고 낙담하여 고개를 떨어뜨리고 소파에 털썩 주저앉았다.

탕성즈는 냉정하게 생각해보았다. 더 이상 지체할 수 없었기에 서둘러 저우란에게 말했다. "가서 당직 참모에게 사단장 이상급 장교들은 곧장 사령부로 와 회의에 참석하라고 통지하시오. 모두 작전실에 모여 난징을 지키고 있는 부대가 포위를 뚫을 방법이 있는지 고민해봅시다." 그는 이같이 말하며 소파에서 일어나더니 먼저 작전실을 향해 걸어갔다.

군사 지도 앞에서 류샹과 저우란은 모두 입을 열고 싶지 않았다. 그들은 탕성즈가 파부침선하여 결전하겠다며 모든 선박을 보냈을 때 이견을 낸 적이 있었기 때문이다. 지금 이 10만 대군이 탈 배가 없으니 날개를 달고 날아갈 수도 없는 일이었다.

탕성즈는 이미 속으로 작전구상을 마쳤다. 시간도 촉박하여 여러 가지를 토론할 수도 없는 상황이었다. 탕성즈가 말하고 저우란이 기록하자 포위망을 뚫을 계획의 초안이 완성되었다. 모두에게 나눠 주기 위해 저우란이 복사를 하러 갔다.

오후 5시, 난징의 하늘은 이미 어두워졌다. 사단장 이상의 장교들이 잇달아 장관사령부에 도착했다. 저우란이 인원을 체크해보니 아직 안 온 사람들이 있었다. 탕셩즈가 출석표를 보면서 속으로 푸전의 상황을 되짚어 보았다. 더 이상 기다릴 수 없다는 생각에 입을 열었다. "시작합시다."

일본군은 점점 포위권을 좁혀오고 있었다. 허시엔을 점령하고 바로 푸커우를 향해 진격하는 중이라 아마 하루 안에 푸커우는 위협을 받을 테고 난징을 지키는 일은 결국 불가능해질 것이다. 탕성즈는 이런 상황을 말한 뒤 장관부에서 탈출 계획을 세워야 하니 모두 의견을 내보라고 말했다. 저우란은 막 복사해온 계획을 모두에게 나누어 주었다.

쑹시롄은 탈출 계획이 만족스러웠다. 36사단이 장관부를 엄호해 강을 건너게 한 뒤 뒤따라 건너면 되기 때문이다. 그러나 다른 부대는 강을 건널 수 없었고 또 광더(廣德), 이청(宣城), 우후와 같은 지역에서부터 포위를 뚫고 나와야 했다. 그는 이제야 탕성즈가 36사단을 시아관에 배치한 이유를 깨닫고 곧장 찬성을 표했다.

74군의 군단장 위지스는 작전을 보고 분통을 터트렸다. 탕셩즈는 말끝마다 난징과 생사를 같이한다더니 이제 와서 가장 먼저 도망가려고 하니 분노가 치밀었다. 그는 싸늘하게 웃으며 말했다. "이 탈출 계획은 장관부를 상당히 배려한 것이군요. 무척 대단합니다."

탕셩즈는 위지스를 상대하지 않고 얼굴을 돌려 다른 사람에게 의견을 물었다. 하나같이 도망가고 싶은 마음이 간절한 이때 누가 다른 의견을 내겠는가? 누군가가 작은 목소리로 "다른 의견은 없습니다"라고 하자 곧장 다른 이가 따라 말했다. 동시에 누군가는 일어나 갈 준비를 했다.

모두가 찬성하자 탕성즈는 일어나 잘라 말했다. "다른 의견이 없으니 모든 것은 탈출 계획에 따라 행동하십시오. 이제 회의를 마치겠습니다. 모두 빨리 돌아가 실행할 준비를 하십시오." 이렇게 회의는 끝이 났다.

긴급회의를 마친 뒤 탕성즈는 자신이 머물던 바이쯔팅(白子亭)을 서둘러 정리했다. 그리고 직속부대를 데리고 시아관으로 갔다.

시아관 부두. 쑹시롄은 이미 근처의 경계를 삼엄하게 하라고 부대에 명령을 내렸다. 강가에는 증기선 한 척이 출발을 기다리고 있었다. 쑹시롄은 밤안개가 자욱하게 낀 강가의 작은 배에 서서 기다렸다.

탕셩즈는 매우 흡족하여 쑹시렌을 칭찬했다. 그런 뒤 류싱과 함께 나룻배에 올랐다. 나룻배의 피리소리가 망망한 양쯔 강 밤하늘을 가르면서 북쪽으로 울려 퍼졌다.

증기선은 전속력으로 달려 예상보다 빨리 푸커우에 도착했다. 그런데 그때 육지에서 수비를 하고 있던 부대가 경고사격을 하면서 정박을 막았다. 배 안의 직속부대도 이에 맞서 기관총을 설치하여 육지를 향해 무력대응을 준비했다. 분위기는 순식간에 긴장되었다. 저우란은 공격이 시작되면 수습할 수 없을까 걱정스러워 다급하게 증기선을 세우고 직접 소리를 질렀다.

저우란이 외치는 소리에 육지의 방위대대장은 대답하지 않고 당당하게 소리쳤다. "장관부 명령이다. 어떤 배도 북쪽으로 올 수 없고 불복할 경우 발포하겠다!" 저우란은 쓴웃음을 지었다. 이 명령은 탕셩즈가 말하고 그가 전달한 것이었으니 자승자박(自繩自縛)이 된 셈이다.

저우란은 크게 고함을 지를 수밖에 없었다. "탕성즈 사령관께서 배에 타고 계신다. 긴급한 임무가 있으니 빨리 배를 정박할 수 있게 하라!" 그러나 방위대대장은 그의 말을 믿지 않고 꼭 사령관을 직접 만나겠다고 했다. 저우란은 어쩔 수 없이 배 안의 탕성즈에게 보고했다.

탕셩즈는 마음이 심란해 배 안에 앉아 있었다. 저우란의 보고를 듣자 절로 이맛살이 찌푸려졌다. 어쩔 수 없다는 듯 갑판에 올라 가슴을 펴고 서니 저우란이 한편에서 소리쳤다. "탕셩즈 사령관께서 나오셨다. 빨리 배를 정박할 수 있게 하라!"

부두에 서 있던 방위대대장은 탐조등으로 증기선을 두어 번 비췄다. 분명히 탕셩즈가 서 있었다. 속으로 깜짝 놀라 급하게 말을 바꿨다. "우리는 명령에 따랐을 뿐입니다. 사령관께서 배에 타고 계신 줄을 몰랐습니다. 죄송합니다. 어서 정박하시지요."

증기선은 마침내 푸커우 부두를 향해 천천히 다가갔다. 이렇게 탕성즈는 난징을 잃고 멀리 달아나 버린 것이다.

쑹시롄은 시아관에서 탕셩즈를 배웅한 뒤 곧장 36사단이 강을 건너도록 했다. 그는 106여단의 여단장 후광뱌오(胡光彪)를 남겨 이쟝면에서 시아관 일대의 경비를 세우고 아무 부대도 통과하지 못하게 했다.

후광뱌오는 많이 배운 사람은 아니었지만 용맹한 장군이라 상부의 명령을 칼같이 지켰다. 명령이 내려오자 맹렬하게 이쟝면 106여단 지휘소로 갔다.

지휘소로 막 돌아오자 212연대의 연대장의 전화가 왔다. 보고하길, 51사단의 사단장 왕야오우가 부대를 이끌고 경비지역을 지나 사아관으로 향하는 중이라 했다. 연대장은 왕야오우가 쑹시롄과 오랜 친구라 어떻게 할지를 물어왔다.

후광뱌오는 전화상으로 땍땍거렸다. "막으세요. 단 한 명도 지나갈 수 없습니다! 왕야오우가 쑹시롄과 무슨 관계든 우정이 얼마나 두텁든 황제폐하도 못 지나갑니다. 51사단을 보내주면 다른 부대는 어떡합니까?"

212연대는 51사단의 돌격을 무력으로 막았다. 이번엔 51사단의 사병들까지 흥분했다. 36사단은 강을 건넜는데 자기들은 어째서 안 된다고 하는가? 곧바로 기관총까지 발사되면서 같은 편이 서로를 죽이는 혈전이 시작되었다.

왕야오우가 상황을 알고 서둘러 왔다. 양측의 수많은 시체와 부상자가 길가에 쓰러져 선혈이 낭자했다. 그는 이 광경을 보고 마음이 무거웠지만 손을 쓸 수 없어 그냥 지나갔고 51사단을 끝까지 제지했다. 그는 시간이 지체되면 강을 건너지 못할까 싶어 부대가 이쟝면으로 길을 돌아가도록 지휘했다.

가까스로 웨이어(巍峨)의 이장먼에 도착했다 그런데 성문이 절반만 열려 있었다. 그 열린 절반의 문에도 사람이 가득 차 지나가지 못했다.

왕야오우는 사람들에 떠밀려 문가로 갔다. 그제야 입구를 막고 있던 것이 바로 바닥에 뒤집힌 마차와 포차, 그리고 죽은 말과 시체라는 것을 알았다. 왕야오우는 마차와 죽은 말을 밟고 노려보며 크게 외쳤다. "장애물들을 옮기면 모두 지나갈 수 있다!"

왕야오우가 크게 소리쳤지만 아무도 듣는 이가 없었다. 사람들은 계속 앞을 향해 뒤집힌 마차와 사람, 말의 사체를 밟았다. 그는 할 수 없이 자신의 병사들과 엉망진창이 된 물건들을 밟고 이쟝먼을 지나갔다.

겨울의 차가운 강바람이 정면으로 불어왔지만 조금도 춥다고 느껴지지 않았다. 시아관 강가의 부두는 인산인해(人山人海)를 이루었다. 사람들은 마치 뜨거운 가마 속의 개미처럼 갈팡질팡하며 사방으로 배를 찾았다. 강에 몇 척의 작은 증기선과 목선(木船)이 있었지만 배 안의 사람들은 그들을 상대해주지 않았다.

배 한 척이 다가오자 부두에 모여 있던 병사들은 소속에 상관없이 벌떼처럼 몰려들어 작은 증기선을 가득 채웠다. 뭍에 있는 사람들은 여전히 배를 타려고 뛰어올랐고 수많은 사람들이 강에 빠졌지만 아무도 신경 쓰지 않았다.

또 한 척의 배가 정박했다. 배 안에서 누군가 소리쳤다. "교도부대는 정렬을 갖추고 수비를 강화하여 재빨리 배에 탄다!" 왕야오우에게는 익숙한 목소리였다. 자세히 살펴보니 바로 저우전창이었다. 교도부대의 병사들은 곧장 대열을 가다듬고 부두를 봉쇄했다.

다른 부대의 사병들은 격분하여 고함을 지르며 잇달아 앞으로 나갔다. 이렇게 하여 또 한 번 자기편끼리 서로 죽이는 상황이 벌어졌다. 교도부대가 조직적으로 공격하자 배에 타려고 다투던 다른 부대들은 뒤로 빠지게 되었다. 교도부대의 배는 재빨리 떠나버렸고 부두에는 한 무더기의 핏자국만 남았다.

뭍으로 밀려나 배를 타지 못한 병사들은 원망이 가득했다. 이들은 부두에 모여 출발한 지 얼마 되지 않은 작은 증기선을 향해 사격을 하기 시작했다. 소총과 자동소총의 탄약이 "탕탕" 소리를 내고 전속력으로 전진하던 교도부대의 배에 떨어졌다.

먼저 출발한 작은 증기선에는 너무 많은 사람이 타고 있던 탓에 강의 가운데에 이르자 물이 들어와 가라앉기 시작했다. 배에 타고 있던 사람들은 놀라서 구명부표나 책상 혹은 걸상을 잡고 잇달아 물로 뛰어들었다. 잡을 것을 찾지 못한 사람들이 처량한 목소리로 구호를 외치던 찰나 배는 침몰되었다.

교도부대의 배는 저우전창의 지휘 아래 전속력으로 전진했다. 침몰한 배를 지나 푸커우로 향했다. 푸커우 부두의 불빛을 보자 저우전창은 만면에 미소를 띠고 기쁨을 감추지 못했다. "곧 푸커우에 도착한다!"

그런데 갑자기 "부르르릉" 하는 기계 소리가 뚝 그치더니 배가 멈춰버렸다. 물이 들어오는 걸 보지 못했는데 어째서 배가 멈춘 걸까? 원인을 찾아보니 뭍에서 병사들이 쏜 총알이 기관실을 관통하는 바람에 물이 들어와 엔진이 멈춘 것이었다.

저우전창은 수영을 잘하는 병사에게 푸커우까지 헤엄쳐 가서 배를 보내게 하라고 했다. 그는 구명부표를 두 개만 남기고 나머지는 모두 수영할 사병들에게 주어 푸커우까지 안전하게 갈 수 있게 했다.

작은 증기선은 천천히 가라앉았다. 그러나 교도부대는 훈련이 잘되어 있었기에 질서정연하게 움직여 손실이 크지 않았다. 병사들은 매우 신속하게 푸커우에 도착했고 군수품만 잃었다.

왕야오우는 침몰하는 배를 보고도 속수무책이었다. 망망한 양쯔 강을 바라보며 이건 모두 장제스의 실책이며 탕성즈의 무능에서 비롯된 참극이란 생각이 들었다. 그는 어쩔 수 없다는 듯 깊은 한숨을 내쉬었다.

왕야오우는 수시로 손목시계를 보았다. 만일 날이 밝기 전에 배를 찾으면 부두에 남겨진 51사단 병사들은 일본군에게 죽거나 포로로 잡힐 것이다. 그는 멀리 푸커우를 바라보며 심란해 했다.

바로 이때 갑자기 누군가가 소리쳤다. "이거 왕 사단장님 아니십니까?" 고개를 돌려보니 74군 지휘부의 장(張)
부관(副官)이었다. 그는 헐떡거리며 뛰어와 왕야오우의 귀에다 속삭였다. "위지스 군단장님이 이미 다녀가셨습니다. 전세가
불리한 걸 아시고 이미 푸커우에 소형 증기선 한 척을 준비하셨는데……"

"소형 증기선이 오면 많은 사람들이 몰리니 다른 곳에 정박시켜두었습니다." 장 부관은 다급하게 이야기했다. "그것참 잘 되었군요." 죽을 고비에서 다시 살아난 왕야오우는 입가에 웃음기를 띠고 곧장 51사단의 병사들을 데리고 조용히 장 부관을 따라갔다.

51사단이 떠난 후 뒤늦게 도착한 부대가 부두를 가득 메웠다. 증기선은 더 이상 찾을 수 없었기에 사람들은 웅성거리며 강을 건널 수 있는 물건을 찾았다. 목선, 문짝, 책상, 의자, 나무토막 등을 이용해 뒤처질세라 앞을 다투며 북쪽 해안으로 향했다.

눈 깜짝할 사이 부두의 사람들이 점점 줄어들고 강 위에는 사람들이 많아졌다. 동쪽에 한 무더기, 서쪽에 한 무더기. 철썩이는 물소리와 사람들이 노나 팔로 물을 가르는 소리가 한데 뒤섞였다. 사람들은 차가운 강물을 가르며 구사일생으로 살아나기만을 간절히 바랐다.

사람과 배가 점점 멀어졌다. 칠흑처럼 어두운 밤하늘 아래 강 위로 안개가 자욱이 끼었다. 무수히 많은 검은 물체들이 물 위에 둥둥 떴다. 송후(淞滬) 전선에서 혈전을 벌인 사병들의 시체가 지금 여기에 처량하게 떠 있는 것이다.

동쪽에서 서광이 비쳤다. 일순간 하늘에 쪽빛이 드러났다. 흰 구름이 둥실 떠갔다. 도도한 양쯔 강의 수면 위로 검은색 물체가 원래의 모습을 드러냈다. 목선이 강 위에서 힘겹게 움직이고 수를 헤아릴 수 없이 많은 사람들이 목재 가구를 껴안고 발버둥을 치고 있었다.

어떤 이는 거세게 흐르는 강물 속에서 힘을 다해 의지하던 물건을 놓고 소리 없이 강 속으로 빠졌다. 또 어떤 이는 파도 속에서 죽을힘을 다해 구조를 외쳤지만 가느다란 외침은 철썩이는 파도 소리에 하나씩 묻혀버렸다.

있는 힘을 다해 헤엄쳐 맞은편 해안으로 향하고 있을 때 일장기를 매단 군함이 나타났다. 일본군의 군함이 12일 오후 2시에 갑자기 우롱 산의 봉쇄선을 뚫고 밤새 시아관의 강 위에 도착한 것이다.

일본군은 강 위에 모여 있는 사람들과 목선이 흔들리고 있는 광경을 보고 배와 사람들을 향해 대포를 쏘았다. 대포알이 하나씩 강 위에서 터지자 높은 물기둥이 치솟았다. 수많은 목선이 침몰되었고 문짝과 나무토막에 의지해 떠 있던 수많은 병사들도 그대로 깊은 바닷속에 빠져버렸다.

원저자 저우얼푸(周而復)

前 문화부 부부장(副部長, 차관)이자 저명한 작가로서 활발히 활동하였다. 병으로 인해 2004년 1월 8일 베이징에서 향년 90세로 작고하였다.

그림 주전경(朱振庚)

화중(華中)사범대학미술과 교수로 대표작으로는 짙은 시대적 분위기를 잘 그려내어 제6회 중국미술작품전시회에서 호평을 받은 그림이야기책(連環畵) 『쾅비에티엔야(玨別天涯)』가 있다. 이 작품을 통해 1986년 제3회 중국그림이야기책어워드에서 수상한 바 있으며 제6~8차 중국미술작품전시회에서 입선하였다. 2012년 2월 향년 74세로 별세하였다.

각색 따루(大魯) **황뤄구**(黃若谷)

작품활동 가운데 『교통역 이야기(交通站的故事)』는 제1차 중국연환화어워드 문학각본 3등, 『바이마오뉘(白毛女)』는 제2차 중국그림이야기책어워드 문학각본 2등을 수상하는 영예를 안았다. 이 외 각본작품들로는 『천징문(陳景聞)』, 『이사광(李四光)』, 『중국고대 4대 발명』, 『외국과학자』, 『감진화상(鑒眞和尙)』, 『당백호(唐伯虎)』, 『8대 산인(八大山人)』, 『난정전기(蘭亭傳奇)』 등 다수가 있다.

번역 김숙향(金淑香)

중국어 번역 전문프리랜서로 한국 고려대학교에서 석사과정을 마친 뒤 중국 상해 복단대학에서 중국문학으로 박사학위를 받았다. 현재 중국 문학과 문화에 관심을 가지고 모교를 비롯한 여러 대학에서 강의를 하면서 연구와 번역을 병행하고 있다. 지금까지 번역 출판된 책으로는『대여행가』,『명장』,『제왕』,『맹자 지혜』등 다수가 있다.